Panorama-Bücher: MÜNCHEN

30 Farbaufnahmen

KLAUS BRANTL

MÜNCHEN

Einführung von

EUGEN ROTH

MÜNCHEN

WILHELM ANDERMANN VERLAG

2., veränderte Auflage
© 1967 by Wilhelm Andermann Verlag, München.
Alle Rechte behalten sich Urheber und Verlag vor. Druck des Textteiles: Offset-
druck Hablitzel, Dachau. Druck des Bildteiles: C. F. Müller, Buchdruckerei und
Verlag GmbH, Karlsruhe. Klischees: Süddeutsche Klischee-Union, München.
Einband: Großbuchbinderei Sigloch, Künzelsau/Württ.
Umschlag und Einbandgestaltung: Gerhard M. Hotop, München.
Printed in Germany. 267

Als Heinrich der Löwe just vor achthundert Jahren die dem Freisinger Bischof gehörige Brücke abreißen und wenige Meilen isaraufwärts wieder schlagen ließ, dachte er kaum daran, daß hier einmal eine Stadt von abendländischem Rang stehen würde. Um Münzrecht und Zoll ging es dem Welfen, die Salzstraße wollte er durch eigenes Gebiet führen; eine Insel im Fluß erleichterte den Übergang, eine Geländestufe, die kaum ein Hügel genannt werden konnte, bot Platz für eine Trutzburg, unweit einer Tegernseer Siedlung „zu den Mönchen", mitten zwischen Niederlassungen, die ein halbes Jahrtausend älter waren. Aus wilder Fehde erwuchs, heftig umstritten, das gemütliche München; wenig deutete darauf hin, daß die Platzwahl einer künftigen Millionenstadt gegolten hatte.

Aber ein guter Stern stand über der jungen Gründung, wunderbar ist ihr Aufstieg. Nach hundert Jahren wächst sie „ins Maßlose", von der Pfarrei Sankt Peter wird der Sprengel Unserer Lieben Frau abgezweigt. Die Wittelsbacher halten in München Hof, nach 1300 bringt Ludwig der Bayer den Glanz der deutschen Königskrone in die Stadt. Der Mauerring, den er ihr gibt, umschließt bis ins 19. Jahrhundert die Altstadt. Drei Kräfte: das Haus Wittelsbach, die Kirche und die Bürgerschaft haben mit wechselnder Führung an München gebaut, der Gotteshäuser waren bald so viele, daß man die Stadt ein deutsches Rom nannte. Um die Jahrtausendmitte hat München das reiche Landshut, das alte Regensburg überflügelt. Die Herzöge und die späteren Kurfürsten errichten eine Residenz, die ihresgleichen im Abendland sucht, sie holen Italiens Glanz über die Alpen, messen sich im Barock mit Dresden und Wien, stellen Lustschlösser weit vor die Stadt. Auf die erlahmende Baufreudigkeit der Bürgerschaft folgt im 18. Jahrhundert der

Adel, dessen Paläste ganze Straßen und Viertel füllen, folgen die Künstler, die über Südbayern das Zaubernetz des Rokoko werfen und die sich in dem längst als Stadt der Kunst und der frohen Feste gerühmten München ihre Häuser bauen.

Dies alles muß sich vor Augen halten, wer München richtig sehen will, den hohen Rang im Mittelalter, die reiche Entfaltung der späteren Zeit. Die Legende läßt sich nicht halten, München sei ein Dorf gewesen, aus dem Ludwig I. jene Stadt gemacht habe, die nach seinem berühmten Wort gesehen haben muß, wer Deutschland gesehen haben will.

Es ist natürlich beklagenswert, daß die steinernen Zeugen vorab des gotischen München so rar geworden sind, daß wir uns kaum auf sie berufen können; auch an Bauten der Renaissance sind wir verarmt, und die schönen barocken und klassizistischen Adelspaläste haben protzigen Geschäftshäusern Platz machen müssen. Selbst nach den schrecklichen Verheerungen des letzten Krieges dürfen wir gerade in München nicht vergessen, daß auch früher schon Unverstand und Gewinnsucht mitten im Frieden arg gewütet haben; und sogar heute noch, wo uns jeder Stein (und jeder Baum) heilig sein sollte, sind kostbare Rokokofassaden oder etwa das Juwel der Maxburg der Spitzhacke anheimgefallen. Allerdings: die Zerstörung durch Bomben und Feuer war nicht nur von fürchterlichem Ausmaß, sondern auch von einem dämonischen Aberwitz — die Residenz sank in Trümmer, und das Neue Rathaus blieb stehen, um nur ein einziges Beispiel unseres tiefen Unglücks zu geben.

Diese Residenz, die schon Gustav Adolf, als sie erst halb so prächtig war, auf Rädern nach Stockholm hätte entführen mögen, war — Hand aufs Herz! — in ihrem unermeßlichen Wert, in ihrer Märchenschönheit weder den Münchnern noch den Fremden ganz bewußt; sie schien ein allzu sicherer Besitz: erst als wir sie zertrümmert sahen, ahnten wir, was wir verloren hatten. Mit unendlicher Mühe bauen wir sie wieder auf, der Thronsaal ist zum Herkulessaal (nach den Wandbehängen so genannt) geworden, einer der festlichsten deutschen Konzerträume, und die Schatzkammer zeigt wieder ihre Wunderschätze.

Ist so auch manche Übereilung und manches Versäumnis zu beklagen, so dürfen wir doch uns der beispiellosen Leistungen des Wiederaufbaus freuen. Seit im Jahr 1957 die Alte Pinakothek, das weltberühmte Haus, seine Pforten wieder öffnete, so erscheint, zum mindesten dem flüchtigen Blick des Fremden, das München Ludwigs I. in seinen äußeren Formen wiederhergestellt.

Die Geschichten vom närrischen Kronprinzen, der seine griechischen Bauten vor die Stadt ins freie Feld stellte, sind zu oft erzählt worden; wir verdanken dem Weitblick des Fürsten, dem freilich der aus schier mittelalterlicher Gassenenge ausbrechende Zeitgeist zu Hilfe kam (mit dem Ende des 18. Jahrhunderts entstand der Englische Garten, fielen die Festungswälle), jene Großräumigkeit, ja Freiheit, die München auszeichnet; noch als wir heute Sechzigjährigen Kinder waren: welch einsame Wucht der Ludwigstraße, welch stille Weite des Königsplatzes.

Hier sei es erlaubt, ein Wort der Klage zu sprechen über den alles niederflutenden Verkehr, der die Plätze der Stadt zu Parkplätzen macht, den Fußgänger zum gejagten Wild, den Fahrenden zum Gefangenen der Technik: kein froher Atemzug der Besinnung, kein ungestörter Blick der Andacht, kein gelöster Schritt des Bummelns scheint mehr erlaubt — wie sollte da einer eine Stadt mit Muße betrachten können!

Die Bauabschnitte, die auf Ludwig I. folgten, wurden lange Zeit unterschätzt. Die Maximilianstraße und, noch einmal ein Menschenalter später, die Prinzregentenstraße stießen, spät genug (und erst als der wilde Fluß durch Anlagen gebändigt worden war), zur Isar vor; von der Isar her, von der Brücke aus, müssen wir das alte München betrachten, hier hatte es sein wichtigstes Tor und, Wirtshaus neben Wirtshaus, im Tal (und jenseits des Schrannenplatzes, in der Neuhauser Straße) die weiträumigen Möglichkeiten zu Handel und Einkehr. Drüben, rechts der Isar, lagen die Vorstädte, Haidhausen, Au und Giesing, uralte Siedlungen; wo sich freilich heute Bogenhausen ausbreitet, war bis an die Schwelle unserer Gegenwart auf der Höhe noch viel freie Fläche mit großen Ziegeleien, den Fluß abwärts jedoch die Wildnis der Auenwälder.

In ganz großen Zügen, ohne Einzelheiten anzuführen, haben wir so das Wachstum Münchens aufgezeigt: den Alten Peter am Rande des Hochufers, die Erweiterung um die Pfarrei zu Unserer Lieben Frau, den zweiten Mauerring Ludwigs des

Bayern, die Neue Veste, die Residenz am Nordende der Altstadt, dann die Streckung nach Norden (Ludwigstraße) und Westen (Königsplatz und Pinakotheken) und zuletzt den zweifachen Vorstoß an die Isar und über sie hinaus (Maximilianeum und Friedensengel). Daß daneben auch die Großstadt München nach allen Seiten gewachsen ist und noch weiter wächst, dergestalt, daß selbst ein Einheimischer, der ein Jahr lang nicht in die Gegend kam, sich kaum mehr auskennt, muß ja wohl nicht eigens geschildert werden. Kein Mensch freut sich, wenn er älter wird und der Bauch wächst ihm mehr als der Kopf; und auch einer Stadt — nicht nur München — macht es Kummer, wenn die Häuser und Leute sich so zusammenballen, daß sie mit dem Geist, dem genius loci, kaum noch zu durchdringen sind. Was vor Jahrzehnten ein Vorwurf war, daß nämlich München doch nur ein großes Dorf geblieben sei, ist heute der Wunschtraum aller Einsichtigen: möchte ihm doch die landschaftlich gebundene Eigenart erhalten bleiben — denn was hätten wir von einer Allerweltsgroßstadt zu erwarten?

Aus bayerisch-bäuerischem Volke ist München jahrtausendelang gewachsen — jetzt ist kaum mehr der fünfte Einwohner ein echtes Münchner Kind! Durch altbayerisches Wesen hat die „Stadt von Volk und Jugend" die Kräfte bewahrt, die so vieles ohne Gefahr „einzumünchnern" erlaubten, als im 19. Jahrhundert die Künstler, die „Nordlichter", die Wahlmünchner alle kamen, die das Höchste suchten, was eine Stadt geben kann: Heimat des Herzens. Das mütterliche München hat, allem Undank zum Trotz, diese Liebe und Geduld immer wieder aufgebracht, „leben und leben lassen!" war noch des raunzigsten Münchners Gesetz, solang nicht Anmaßung ihn aus der königlich bayerischen Ruhe trieb. Berufene und weit mehr noch unberufene Urteile sind über die Münchner und die Münchnerinnen gefällt worden — aber wer darf wirklich sagen, daß er sie kennt? Die Münchnerinnen auf dem Viktualienmarkt (dem schönsten von Deutschland!) sind gewiß noch echt und die Münchner in der Schwemme des Hofbräuhauses oder auf einem Sommerkeller wohl auch: aber sie vertreten nicht das ganze München, auf das es noch immer ankommt, das München der Kunst und der Lebenskunst, das noch durch alle Schichten der Bevölkerung geht, bis oben hinauf zu alten Familien und berühmten Leuten.

12

Der Lobpreisungen unserer Stadt gibt es genug — „München leuchtete!", der Titel einer Erzählung von Thomas Mann, ist ein geflügeltes Wort geworden, vor fünfzig Jahren schon von der Wehmut der Vergänglichkeit gestreift. Wer das schönere München nicht mehr gekannt hat, für den ist wahrhaftig auch das schöne, das heutige, in seiner Einmaligkeit liebenswert genug. Das Schönste von München ist München selbst, die Stadt des Lebens, wie Hebbel sie genannt hat. Dieses München in seiner Gesamtheit zu erfassen, müßte einer viel Zeit haben, Zeit, die nicht Geld ist, Muße — oder es gelingt ihm in einer glücklichen Stunde, in der alle Kräfte dieser Stadt kristallisch zusammenschießen zu einer einzigen Verzauberung.

Das Ganze ist immer mehr als die Summe seiner einzelnen Teile, die Anhäufung von Sehenswürdigkeiten, selbst wenn einer keine ausließe, ist noch lange nicht München. Aber wenn ich einen Gast zu führen hätte, drei große Punkte, aus denen München springt, würde ich ihm zeigen. Sonne müßte natürlich sein, ein Föhntag mit dem leichtesten Himmel und mit der kräftigsten Luft, dem Berghauch der Freiheit; keine andere Stadt in Deutschland braucht so viel Glanz, so viel Klarheit bis zur Härte, wenn sie eben ins rechte Licht gerückt werden soll (die reichen Werte der Dämmerung sind mehr für die Fortgeschrittenen!).

Nun also: mitten im Gewühl der Neuhauser Straße würde ich stehenbleiben, das bürgerlich-gottselige, das historische München zu weisen: die mächtige Front der Michaelskirche, den mittelalterlichen Augustinerstock und dahinter, massig, rötlich und haubengrün, die Frauentürme. So sah — ein wenig Phantasie vorausgesetzt — auch das historische München vor dreihundert Jahren aus. Und sind nicht die Frauentürme ein schönes Beispiel für die glückhafte Stadt? Geldnot zwang zu den „welschen Hauben" — und das Wahrzeichen Münchens ist aus solcher Verlegenheit entstanden!

Erst vor der Feldherrnhalle würde ich wieder verweilen: zur Rechten schiebt sich die wieder aufgerichtete Wucht der Residenz aus der Enge der Altstadt, zur Linken ragt, mit krausen Türmen und herrlicher Kuppel, honiggelb die Theatinerkirche empor; breit entströmt die Ludwigstraße, vieler Wunder voll, gegen Norden. Hier stehen wir an der Nahtstelle von Altmünchen und der Stadt des großen Königs, in

14

dessen Hand des Menschen Würde gegeben war: ein halbes Jahrhundert lang hat er, sparsam und großzügig, eigensinnig und weitherzig, das Gesicht der Stadt geprägt.

Und zum dritten würde ich, an der edlen Fassade des Nationaltheaters vorbei, die Maximilianstraße hinaufgehen, die grüne und rötliche Feststraße, die im frühen Sommer im Kerzenglanz rotblühender Kastanien strahlt, bis zur Brücke: an eine der nobelsten Stellen des neuen München. Die Isar strömt, edlen und harten Wassers, grün im Grünen hinunter, von den Bergen, den Alpen her. Der Beschauer ahnt, wie sehr das München des zwanzigsten Jahrhunderts von diesem Flusse gespeist ist, wie zu dem historischen Ernst ein neuer Jubel sich gesellt hat. Hinter den Baumwipfeln, hinter dem golden schwebenden Friedensengel liegt droben das Haus der Festspiele — und ein Klang wie von Fanfaren ist in der Luft.

Vielleicht täte ich doch noch einen vierten Gang: auf einen Turm führte ich meinen Gast, wie es Goethe schon riet, ihm jenes ganze München zu zeigen, mit den Wäldern und Seen im Süden und dem oft so tiefdunkelblauen nahen Kreis der Alpen, ohne die ja diese Stadt nicht zu denken ist.

Jedes Handbuch sagt dem Fremden, wie er München in drei, in zwei Tagen bewältigen soll, die Umgebung mit inbegriffen; ein Bus mit Lautsprecher zeigt das Sehenswürdigste, freilich ohne viel Würde, an einem Vormittag. Den Weg zum Hofbräuhaus und zu den Weißwürsten hat noch jeder gefunden, den hat ihm vermutlich sein Großvater schon beschrieben. Daß er in das Haus der Kunst und vor allem in die Pinakothek gehen soll, um Münchens Anteil am Weltruhm der Kunst zu genießen, braucht man ihm auch nicht zu sagen. Aber auf Knien des Herzens möchte man ihn anflehen, durch das Bayerische Nationalmuseum zu wandern, wo er an Hand erlesenster Schaustücke das innerste Vermächtnis, sozusagen die irdische Ewigkeit Münchens und Bayerns, noch einmal in ihrer Leibhaftigkeit erleben darf. Das Stadtmuseum am Jakobsplatz ergänzt diesen Blick in die lebendige Vergangenheit auf das glücklichste; und wer das Land Oberbayern mit den Augen eines Dillis und Wagenbauer sehen will, der wird in der Schackgalerie seine helle Freude haben.

Tausende kommen nach München, mit dem fast einzigen Wunsch, das Deutsche Museum zu besichtigen; aber Zehn-

Richard-Strauß-
Brunnen und
Michaelskirche

Richard Strauss
Fountain and
St. Michael's Church

La fontaine
Richard Strauss et
l'église St. Michael

Marienplatz

*Blick auf die
Frauenkirche*

*View of the
Frauenkirche*

Vue sur la Frauenkirche

Glockenspiel
(Neues Rathaus)

Glockenspiel
(New Town Hall)

Carillon
(Nouvel Hôtel de Ville)

Viktualienmarkt
Viktualienmarkt
Le Marché
(Viktualienmarkt)

Das Isartor
The Isar Gate
Porte de l'Isar

Peterskirche
St. Peter's Church
L'église St. Pierre

Innenansicht der Peterskirche

Interior View of St. Peter's Church

Intérieur de l'église St. Pierre

Asamkirche
Asam Church
L'église Asam

Stachus — Karlsplatz

Wittelsbacher Brunnen
The Wittelsbach Fountain
Fontaine de Wittelsbach

Garten der Lenbach-Villa

*Garden of the
Lenbach-Villa*

*Le jardin de la villa
Lenbach*

82579

Glyptothek

Glyptothek
(Gallery of Skulptures)

Glyptotèque
(Galerie de statues)

*Rubens-Saal
der Alten Pinakothek*

*Rubens Room in the
Alte Pinakothek*

*La Salle Rubens
de l'Ancienne Pinacothèque*

<

*Nationalmuseum
National Museum
Le Musée National*

Nationaltheater
National Theatre
Théâtre National

Odeonsplatz
Odeonsplatz
Place de l'Odéon

Monopteros

Der Chinesische Turm
The Chinese Tower
La Tour Chinoise

Friedensdenkmal
Monument to Peace
Le Monument de la Paix

>

Haus der Kunst
House of Art
Palais des Arts

Maximilianeum

Deutsches Museum

Schloß Nymphenburg
Nymphenburg Castle
Le Château de Nymphenburg

*Schloßrondell
Nymphenburg*

*Approach to
Nymphenburg Castle*

*Les abords du Château
de Nymphenburg*

Oktoberfest
Oktoberfest
Fête d'Octobre

Hofbräuhaus

Bavaria mit Ruhmeshalle
Bavaria with the Pantheon
Bavaria et la Salle de Gloire

Hofgarten

*Hofgarten
(Palace Gardens)*

Hofgarten

tausende, in der Meinung, Technik gehe sie nichts an oder sie hätten selber daheim mehr als genug davon, sind entschlossen, es links liegen zu lassen. Das sollten sie nicht tun, denn Oskar von Millers geniale Schöpfung ist ganz anders, als sie es sich vorgestellt haben: es ist die Offenbarung eines Weltbildes!

Freilich, das Wandern durch die Sehenswürdigkeiten einer fremden Stadt ist ermüdend, und nicht jeder bringt gleiche Kräfte mit. Der eine hat es bald satt, dem anderen kommt der Appetit erst beim Essen; der erste wird in den Englischen Garten wandern oder im Hofgarten einen Kaffee trinken — und er hat recht: niemand soll sich über seine Kraft zum Sklaven der Sehenswürdigkeiten machen. Der andere wird vom Königsplatz und dem Lenbach-Haus zur Staatsbibliothek eilen, wird den wundervollen Münzhof suchen, am Residenztor die großartigen Löwen, in Erz gegossen, entdecken oder gar die vier geflügelten Genien am Sockel der Mariensäule. Er darf sich dann schon fast einen Kenner heißen. Ausrasten wird er mitten im Gewühl des Verkehrs, in der jähen, kühlen Stille einer Kirche, im Dom oder im Bürgersaal, wo ihn der lieblichste Engel beschützt, den das Rokoko schuf, oder in der

Asamkirche, wo der Gestalten Fülle verschwenderisch aus Wand und Decke quillt. Und am Abend wird der Unersättliche — wer möchte ihn nicht um seine Rüstigkeit beneiden! — heitere Kunst genießen, ein Schauspiel sehen oder die unendliche Melodie, die ihm München in der „gefrorenen Musik" seiner Bauten bot, in die reinen Klänge einer Oper, eines festlichen Konzertes auflösen. Und am anderen Tag wird er vielleicht Museumsferien machen, er wird in Antiquariaten schmökern, seiner Frau zuliebe die berühmten Ladenfronten abschreiten oder seine Kinder ins Marionettentheater führen — wer Zeit und Geld hat, kann's in München mit Gewinn verschwenden.

Wir haben Münchens Werden und Sein umrissen — Namen haben wir keine genannt —, wohin würde uns das auch führen! Und doch möchten wir an dieser Stelle einen Blick in die verwirrende Fülle tun: da stehen die bayerischen Meister Jörg Ganghofer und Heimeran als die Erbauer des Domes, Erasmus Grasser als Schöpfer der Moriskentänzer (im Stadtmuseum) für das Mittelalter; der Niederländer Friedrich Sustris für die Renaissance (Michaelskirche, Antiquarium der Residenz); Barelli und Zuccali für den Barock (Theatinerkirche); Effner, die Brüder Asam und Cuvilliés für das Rokoko (Residenz und Residenztheater); Karl Fischer für die Wendung zur Klassik, der große Leo von Klenze für die Bauten Ludwigs I. (daneben noch Gärtner und Ziebland), Gottfried Semper und Bürklein für die Jahrhundertmitte und Gabriel Seidl und Theodor Fischer für die Wende zum zwanzigsten. Das sind freilich nur einige von den Baumeistern, zu denen, nicht weniger wichtig, andere Künstler treten müßten, Namen, bei gleichem Wert und Gewicht aller Welt geläufig (wie Bustelli) oder nur dem Kenner vertraut (wie Gunetzrhainer). Wie vielen Ausländern wir auch begegnen, immer schlägt die „bayerische Grundkraft" durch. Wer in diesen Zauberkreis tiefer eindringen will, lese das bedeutende Buch von Norbert Lieb: „München".

Noch muß der Umgebung gedacht werden; nicht in jenem Allerweltssinn des Fremdenverkehrs, der „München und das bayerische Hochland" in einem Atem nennt und in der Stadt nur das Sprungbrett sehen will — natürlich sind die Berge das große Ziel, von Berchtesgaden bis zum Bodensee soll jeder sie genießen; aber so stolz bin ich als Münchner für meine Stadt, daß ich sage: wer nicht zwei, drei Tage dafür Zeit hat, der soll lieber gleich durchfahren!

Münchens Umgebung ist hier enger verstanden: etwa der prangende Schloßgarten von Dachau mit dem herrlichen Fernblick, der Wunderbau von Schleißheim mit seinen Bildern und Blumen, das Isartal, das im ersten Frühling am schönsten ist und im letzten Herbst. Auf diesem Wege liegt auch der Tierpark Hellabrunn; wer sich selbst eine Freude machen oder gar seinen Kindern ein Glück schenken möchte, wird ihn besuchen.

Wenn er aber das Schloß Nymphenburg versäumt und in seinem weitläufigen Park die Amalienburg, den Inbegriff des bayerischen Rokoko, bin ich ihm gram — denn er hat den funkelnden Edelstein in der Krone unserer Stadt verworfen. Zuletzt tue er auch noch die hundert Schritte, um in das Zauberreich des Botanischen Gartens zu gelangen.

Auf die Frage, warum München schön sei und was den Rang der Stadt ausmache, haben wir zu antworten versucht — aber das Unwägbare, das in seiner Summe erst gewichtig wird, ist auf zehn Seiten nicht zu erklären. Bauten und Sammlungen mag einer betrachten, Natur und Kunst im schönen Einklang bewundern, die Pflegestätten der Künste und Wissenschaften ehren, der Meister gedenken, der Dichter, Maler, Musiker, Gelehrten, die dieser Stadt verpflichtet sind. Immer wird sich der Einheimische wie der Gast im Banne einer großen Vergangenheit fühlen und wird die guten Geister spüren, die an diesem München — und nicht nur an seinen Steinen! — mitgebaut haben. Und wer sich dieser Stadt tiefer verbunden weiß, als daß er, einer von der Million Einwohner, hier sein Brot findet oder, einer von vielen Millionen, „auch einmal" dagewesen ist, der wird in Liebe und Sorge die Hoffnung nähren, daß dieses Erbe erhalten und neu erworben werde.

Das Salz aus dem Gebirge hat das alte München groß und reich werden lassen; das attische Salz Isarathens war mehr als ein Jahrhundert lang Würze der Welt. Diese Welt ist überall in Gefahr, nicht nur in München; möge hier, nach dem Bibelworte, das Salz nicht dumm werden — denn womit soll man salzen?

*Richard-Strauß-Brunnen und
Michaelskirche*

In einem Winkel der Neuhauser
Straße, einer Hauptgeschäftsstraße,
steht der Richard-Strauß-Brunnen,
eine Schöpfung Hans Wimmers.
Die Brunnensäule zeigt Motive aus
der Oper „Salome". Links neben
der Säule ist die Fassade der Michaelskirche sichtbar, eine der schönsten Renaissancefassaden, 1583 bis
1597 nach Plänen des Niederlän-
ders F. Sustris erbaut.

Der Marienplatz

Als Mittelpunkt und Marktplatz
des alten München war der Marienplatz schon früh von großer Bedeu-
tung. Die Mariensäule im Hintergrund wurde von Kurfürst Max I.
als Dank für die Schonung vor
Heimsuchung durch das schwedi-
sche Heer errichtet. Am Fronleich-
namstag wird zu Füßen der Maria
einer der vier festlich geschmückten
Hauptaltäre errichtet, an denen die
große Münchner Fronleichnams-
prozession vorbeiführt.

Blick auf die Frauenkirche

Vom Turm des Rathauses aus bie-
tet sich ein schöner Blick auf den
Dom Unserer Lieben Frau. Er wur-

53

de von dem berühmten Jörg Ganghofer 1468—1488 an Stelle einer
Kirche aus dem 13. Jahrhundert in
spätgotischem Stil erbaut. Als
Wahrzeichen gelten seine beiden
100 Meter hohen Türme.

Glockenspiel (Neues Rathaus)

Täglich um 11 Uhr lockt das Glok-
kenspiel im Turm des Neuen Rathauses mit den Figuren des Schäff-
lertanzes und des Ritterturniers
viele hundert Neugierige an.

Der Viktualienmarkt

Der größte Lebensmittelmarkt der
Stadt liegt unweit des Marienplat-
zes im Herzen der Stadt. Er ist
auch heute noch Bauernmarkt und

in seiner fröhlichen Buntheit eine
echte Sehenswürdigkeit. Im Hintergrund erhebt sich der Turm der
Peterskirche.

Das Isartor

1314 wurde am östlichen Ausgang
der Stadt das wuchtige Isartor errichtet und 1815 neu gestaltet. Ein
Fresko über den Bögen der Außen-
seite zeigt den Einzug König Ludwig des Bayern nach der Schlacht
bei Mühldorf im Jahr 1322.

Peterskirche

Die älteste Kirche Münchens (erbaut 1181) ist neben der Frauenkirche das bekannteste Bauwerk
der Stadt. Der Turm, im Volks-

54

mund „Alter Peter" genannt, wird sogar mit einem Lied besungen und ist eines der Wahrzeichen der Stadt München.

Innenansicht der Peterskirche

Besonders sehenswert ist der Hochaltar nach einem Entwurf von Nikolaus Stuber mit Figuren von Egid Quirin Asam und Erasmus Grasser.

Asamkirche

Die Asamkirche, geweiht dem Heiligen Johann Nepomuk, wurde auf eigene Kosten der Gebrüder Asam erbaut. Damit wurde eines der schönsten Werke des süddeutschen Rokoko geschaffen. Der Hochaltar ist gekrönt von einer herrlichen

Gruppe, die die Heilige Dreifaltigkeit darstellt.

Stachus — Karlsplatz

„Stachus" wird der Karlsplatz genannt nach einem Wirtshaus, das früher einmal hier stand. Dieser belebteste Verkehrsknotenpunkt Deutschlands liegt an sich außerhalb der Altstadt Münchens, denn er wird auf einer Seite abgeschlossen vom Karlstor, das früher den westlichen Ausgang der Stadt bildete.

Wittelsbacher Brunnen

Schön hebt sich vor dem Hintergrund der Baumanlage der reichgestaltete Wittelsbacher Brunnen mit seinen sprühenden, glitzernden Wasserfontänen ab. Die Figuren zu beiden Seiten der Hauptfontäne stellen die schöpferische und die zerstörerische Kraft des Wassers dar. Die Brunnenanlage wurde 1895 von A. v. Hildebrand geschaffen.

Garten der Lenbach-Villa

Diese berühmte Villa, ein Neurenaissancebau von Gabriel von Seidl, bewohnte der bekannte Maler bis zu seinem Tod 1904. Heute enthält sie die Städtische Galerie mit bemerkenswerten Kunstschätzen, besonders Münchener Kunst des 19. und 20. Jahrhunderts. Bekannt sind auch die Corinth- und Kandinsky-Sammlung. Schön und in sich geschlossen ist der Garten.

Glyptothek

Dieser Bau auf der nördlichen Seite des Königsplatzes ist der erste, den der berühmte Baumeister Klenze in München schuf. Er dient heute als Museum für antike Statuen.

Rubens-Saal der Alten Pinakothek

Die Alte Pinakothek zählt zu den bedeutendsten Gemäldegalerien der Welt. Ihre Rubens-Sammlung ist eine der umfangreichsten und kostbarsten, die existieren.

Nationalmuseum

Vor dem 1894—99 errichteten Nationalmuseum tritt die breite Prinzregentenstraße zurück, so daß ein geschlossener Platz entsteht, der dem Bau besonderen Reiz verleiht. Zahlreiche Schätze beherbergt das Museum heute wieder, darunter die weltberühmte Krippenschau.

Nationaltheater

Am Anfang des 19. Jahrhunderts als Hoftheater von Karl von Fischer errichtet, nach einem Brand 1823 von Leo von Klenze wiedererbaut, brannte das Nationaltheater während des 2. Weltkrieges vollständig aus. 1963 wurde das Opernhaus wiedereröffnet. In diesem Haus fanden die Uraufführungen der großen Opern Richard Wagners statt.

Odeonsplatz

57 Die Feldherrnhalle schließt die breite Ludwigstraße nach Süden ab. Sie ist eine von Friedrich v. Gärtner 1840 bis 1844 errichtete Nachbildung der „Loggia dei Lanzi" in Florenz. Sie enthält die Standbilder von Tilly und Wrede. — Rechts daneben die Theatinerkirche in leuchtendem Gelb, von dem italienischen Baumeister Barelli 1663 bis 1675 erbaut. Rechts das Reiterstandbild Ludwigs I.

Monopteros

Der Englische Garten, darin sich auf einem Hügel dieser kleine Rundtempel erhebt, gehört zu den schönsten Parkanlagen in Europa. Im Gegensatz zum Hofgarten ist er ganz als natürliche Parklandschaft gegliedert.

Der Chinesische Turm

Nach der Vorliebe damaliger Zeit für alles Ostasiatische schuf Joseph Frey 1790 den Chinesischen Turm. Münchner Bürgersinn hat ihn 1952 wieder aufgebaut.

Haus der Kunst

Der langgestreckte Bau mit seinen Säulen und breiten Quadern aus gelblichem Donaukalkstein ist dem Englischen Garten vorgelagert. Seine Gemälde-Ausstellungen sind weithin bekannt.

Friedensdenkmal

Das Denkmal, im Volksmund Friedensengel genannt, wurde auf einer schönen Terrassenanlage zur Erinnerung an den Frieden von 1871 errichtet.

Maximilianeum

Inmitten reizvoller Isaranlagen steht das Maximilianeum, mit weitgeschwungenen Arkadenflügeln den Platz davor beherrschend. Es dient heute als Sitz des Bayerischen Parlaments.

Deutsches Museum

Das Deutsche Museum ist das bedeutendste technische Museum der Welt. Alljährlich zieht es viele Besucher an. Schön gelegen auf einer Insel der Isar, ist es fast 500 Meter lang. 1903 wurde es auf Anregung des Ingenieurs Oskar von Miller gegründet und unter seiner Leitung fertiggestellt.

Schloß Nymphenburg

Nymphenburg selbst ist erst seit 1900 ein Stadtteil Münchens. Das barocke Schloß war einst Sommerresidenz der bayerischen Kurfürsten und Könige. Verschiedene Teile wurden seit 1664, wo man mit dem Bau begann, hinzugefügt, bis die Anlage vollendet war. Der Park ist nicht allzu weitläufig, bemerkenswert jedoch durch die verschiedenen Stile, nach italienischer, französischer und endlich auch englischer Manier.

Schloßrondell Nymphenburg

59 Unvergeßlich ist der Ausblick von der Treppe des Schlosses über den herrlichen Springbrunnen hinweg, den schnurgeraden von Bäumen eingesäumten Kanal entlang.

Oktoberfest

Achterbahn, Riesenrad, Millionen von vergnügten Menschen, Musik und nicht zuletzt Bier und dabei die lustigste Stimmung — bis nachts um elf die Lichter erlöschen — so stellt sich wohl jeder das Oktoberfest vor. Hinter der „Wies'n" die Silhouette der Paulskirche.

Festgespann

Zur Zeit des Oktoberfests fahren die großen Brauereien die Bierfässer zu den Zelten auf der „Oktoberwiese". Die schweren Pferde sind festlich geschmückt mit altem wertvollen Zaumzeug.

Hofbräuhaus

Das Ziel wohl jedes Fremden (und zahlreicher Münchner) ist das volkstümliche Hofbräuhaus am „Platzl", das 1896 neu erbaut wurde.

Bavaria mit Ruhmeshalle

Das Standbild, nach einem Modell Ludwig v. Schwanthalers von Ferdinand v. Miller gegossen, ist 19 m hoch. Dahinter die von Leo v. Klenze erbaute Ruhmeshalle, in der vor dem Krieg die Büsten verdienter Bayern aufgestellt waren.

Hofgarten

Dieser schöne in französischer Manier angelegte Park ist umgeben von geräumigen Arkaden mit Wandmalereien aus der bayerischen Geschichte. Darüber hinweg ein schöner Blick auf die Theatinerkirche.

Deutschland: BAYERISCHE ALPEN · BAYERISCHE KÖNIGS-SCHLÖSSER · BERLIN · BODENSEE · BONN · ESSEN · HAMBURG HEIDELBERG · KÖLN · MAINFRANKEN · MOSEL · MÜNCHEN OBERBAYERN · ROMANTISCHE STRASSE · RHEIN · RUHR-GEBIET · SCHWARZWALD

Österreich: BADGASTEIN · KÄRNTEN · ÖSTERREICH · SALZ-KAMMERGUT · STEIERMARK · TIROL · WACHAU · WIEN

Frankreich: BRETAGNE · BURGUND · CÔTE D'AZUR · FRANZÖ-SISCHE KATHEDRALEN · ELSASS · KORSIKA · MONT SAINT-MICHEL · NORMANDIE · PARIS · PARIS BEI NACHT · PRO-VENCE · SCHLÖSSER AN DER LOIRE · VERSAILLES

Italien: CAPRI · FLORENZ · GOLF VON NEAPEL · POMPEJI ROM · SIZILIEN · SÜDTIROL · VENEDIG

Schweiz: GRAUBÜNDEN · SCHÖNE ROMANTISCHE SCHWEIZ SCHWEIZ · VIERWALDSTÄTTERSEE · WESTSCHWEIZ

Skandinavien: DÄNEMARK · FINNLAND · HELSINKI · KOPEN-HAGEN · LAPPLAND · NORWEGEN · SCHWEDEN

USA: FLORIDA · KALIFORNIEN · NEW YORK · SAN FRAN-ZISKO · WASHINGTON

Hauptstädte der Welt: ATHEN · BRASILIA · BRÜSSEL · ISTANBUL LONDON · MOSKAU · PEKING · RIO DE JANEIRO

Andere Länder: ANDALUSIEN · BALEAREN · BERMUDA · COSTA DEL SOL · DALMATIEN · DAS HEILIGE LAND · FLANDERN GRIECHENLAND · HOLLAND · IRLAND · ISRAEL · JAMAIKA JAPAN · KANADA · KANARISCHE INSELN · MAROKKO MEXIKO · NASSAU · NEUSEELAND · PORTUGAL · RHODOS SCHOTTLAND · SPANIEN · SÜDAFRIKA

Herausgegeben von Hans Andermann